WIELKA KOLEKCJA BAJEK z Dreszczykiem

EGMONT

Spis treści

Tytuł oryginału: *Scary Stories*

Redakcja: Teresa Duralska-Macheta
Korekta: Bożenna Jakowiecka

Wydanie pierwsze, Warszawa 2014
Wydawnictwo Egmont Polska Sp. z o.o.
ul. Dzielna 60, 01-029 Warszawa, tel. 22 838 41 00
www.egmont.pl/ksiazki

ISBN 978-83-281-0396-2
Projekt okładki: Karol Kinal
Druk: Colonel, Kraków

Aladyn

Co to za duch?

Tego dnia w Agrabahu było pochmurno i padał deszcz. Księżniczka Dżasmina wyglądała przez okno pałacowego salonu.

– Ale nudy. Szkoda, że nie możemy pójść na spacer – stwierdziła.

Aladyn wzruszył ramionami.

– Dlaczego nie mielibyśmy pójść na spacer? Nie ma sensu przejmować się pogodą – powiedział.

– A jeśli będzie burza? – zapytała Dżasmina.

– No, to uciekniemy i pospacerujemy po pałacu – odparł Aladyn, wyciągając dłoń do Dżasminy.

Małpka Abu, siedząca w pobliżu, wyczekująco uniosła się na poduszce, na której wylegiwała się, równie znudzona jak jej pani.

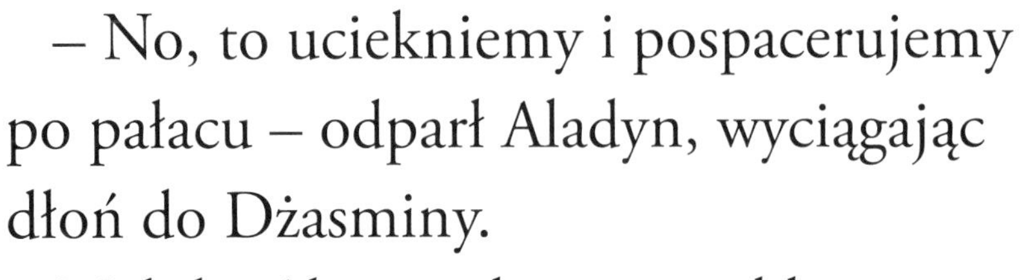

Dżin także nudził się w taką pogodę. Wałęsając się tu i ówdzie, mimochodem podsłuchał rozmowę Aladyna i Dżasminy.

– Myślę, że nadszedł czas, by działać! – powiedział do siebie, zacierając ręce.

Aladyn i Dżasmina wyszli na korytarz. Dżasmina podskoczyła, kiedy niebo rozświetliła błyskawica i zahuczał grzmot. Abu zaś jednym skokiem znalazła się na ramieniu Aladyna.

– To tylko mała burza. Tu jesteśmy bezpieczni – uspokoił je Aladyn i skręcił w kolejny korytarz ogromnego pałacu. – Ten korytarz prowadzi do kuchni – dodał. – Kiedy już pospacerujemy, nagrodzimy się jakimś przysmakiem!

– Tędy nie idzie się do kuchni! – zawołała Dżasmina.

– To taki nowy skrót, który wymyśliłem. Zaraz się przekonasz – wyjaśnił Aladyn, który jednak nie zdawał sobie sprawy, że skręcił w złą stronę.

Wcale nie szli do kuchni…

Zaczęło się robić chłodno i nieprzyjemnie.

Nagle Abu wpadła w pajęczynę.

– *Aaach!* – wrzasnęła.

– Jesteś pewien, że idziemy do kuchni? – zapytała nerwowo Dżasmina.

– Tak, tylko okrężną drogą – potwierdził Aladyn, ale w ciemnościach nie był już taki pewien, czy trafił na skrót, o który mu chodziło.

Wtem zobaczył przed sobą drzwi z namalowaną niebieską strzałką.

– No! – stwierdził z ulgą. – Tam musi być kuchnia!

Nacisnął klamkę i uchylił drzwi. Z pomieszczenia znienacka wyfrunęło stado nietoperzy i zakołowało nad ich głowami. Dżasmina krzyknęła. Abu z przerażenia zamknęła oczy.

– Uciekajmy stąd! – wrzasnął Aladyn.

Zawrócili i popędzili długim korytarzem. Na jego końcu zobaczyli inne drzwi.

– Tutaj! – zawołał Aladyn.

Otworzyli drzwi, zatrzasnęli je za sobą i odetchnęli z ulgą, ciężko dysząc.

– *Uff!* – sapnął Aladyn. – Chwała Allachowi, udało się. Powinniśmy od razu wejść tutaj.

Aladyn prowadził dalej.

– No… jeszcze kilka kroków i będziemy siedzieli w kuchni, zajadając się lodami – powiedział, usiłując dodać odwagi Dżasminie i Abu.

Ale te kilka kroków, zamiast do kuchni, zawiodło ich do najbardziej mrocznego, lodowatego i przerażającego miejsca, jakie kiedykolwiek widzieli – do lochu!

Rozejrzeli się z lękiem. Wtem usłyszeli upiorny śmiech. Dżasminie ciarki przeszły po skórze. Zaczęła krzyczeć ze strachu.

– Krzyki i wrzaski nic wam nie pomogą. Nie wypuszczę was stąd i już! – zagrzmiał jakiś przerażający głos.

– Kim jesteś? – zapytał Aladyn. – Pokaż się!

– Otom ja, straszny duch lochu. Witam w moich progach! – wrzasnęła zjawa, pojawiając się przed nimi.

Aladyn i Dżasmina nie mogli uwierzyć własnym oczom. Słyszeli o duchach w lochu, ale w najgorszych snach nie spodziewali się, że zobaczą któregoś z nich.

Tymczasem duch znikł równie szybko, jak się pojawił!

Księżniczka rozejrzała się nerwowo, zastanawiając się, co będzie dalej.

– Nie bój się, Dżasmino. Wyprowadzę cię stąd bezpiecznie – zapewnił Aladyn.

I powiódł swoje towarzyszki w drugą stronę, desperacko szukając jakiegoś ukrytego wyjścia.

Wiatr wył, kiedy Aladyn, Dżasmina i Abu wędrowali po omacku przez mroczne, kręte podziemne korytarze.

Aladyn zaczął już tracić nadzieję, że kiedykolwiek uda im się wyjść z tej pułapki.

Nagle podłoga pod ich stopami zapadła się i runęli w dół!

– *Aaaaaaach!* – wrzasnęli Aladyn, Dżasmina i Abu, po czym z łoskotem wylądowali na jakiejś twardej powierzchni.

Znów pojawił się przed nimi duch.

– Miła podróż, co? – zapytał ze śmiechem.

Aladyn i Dżasmina popatrzyli na siebie. Duch nie wydawał im się teraz taki groźny.

Postanowili dowiedzieć się o nim czegoś więcej.

– Czy my się może znamy? – zagadnął Aladyn.
– A jakże! – odpowiedział z chichotem duch.
Dżasmina zerknęła na Aladyna, unosząc brwi ze zdziwienia.
Aladyn przyjrzał się uważniej duchowi. Rzeczywiście, kogoś mu przypominał.
– I mnie też znasz? – zapytała zaskoczona księżniczka.
– Jasne. Jesteś księżniczką Dżasminą, dziewczyną Ala! – odparł duch.
– Aaa! To ty! – skojarzył nagle Aladyn i uśmiechnął się do Dżasminy.

– Nie jesteś duchem, tylko Dżinem! – domyśliła się Dżasmina.

– Ups, punkt dla was! – wykrzyknął Dżin, wracając do swojej dawnej postaci. – Przegrałem!

– To nie było zabawne, Dżinie – powiedział Aladyn.

– Właśnie, naprawdę nas przestraszyłeś – dodała Dżasmina.

Abu fuknęła na Dżina ze złością.

– Przepraszam – kajał się Dżin. – Ale usłyszałem, jak Dżasmina mówi, że nudzi jej się, więc postanowiłem dostarczyć wam rozrywki w ten deszczowy dzień.

Dżasmina i Aladyn zaczęli się śmiać.

– On mówi prawdę – przyznała księżniczka. Rzeczywiście tak mówiłam.

Nagle Aladyn zauważył, że Dżasmina drży z chłodu.

– Hej, Dżinie, czy możesz nas stąd wyprowadzić? – poprosił.

– Tak jest – odparł Dżin, który zamienił się w ogromną latarkę i oświetlając drogę w ciemnościach, zaprowadził ich do kuchni.

Po chwili całe towarzystwo już zajadało lody.

– Przyznacie, że kiedy się kogoś porządnie nastraszy, lody lepiej smakują – powiedział Dżin.

Wszyscy się roześmiali. W czasie deszczu nudzić się z Dżinem? To naprawdę niemożliwe!

Piotruś Pan

Cień Kapitana Haka

Marsz za burtę, Piotrusiu Panie! – krzyczał Jaś Darling do swojego braciszka Misia, wymachując drewnianym mieczem.

Chłopcy bawili się w pokoju dziecinnym. Jaś udawał, że jest Kapitanem Hakiem, a Miś odgrywał Piotrusia Pana.

– Nie będę chodził po desce, zdechły sztokfiszu, Kapitanie Haku! – zawołał Miś.

– Zmuszę cię do tego! – wrzasnął Jaś, naśladując groźną minę Haka.

Miś zeskoczył z łóżka i stanął w pozycji bojowej.

Klak! Klak! – starły się drewniane miecze.

Bracia ganiali się po całym pokoju, tocząc zajadły pojedynek. Przez chwilę Miś czuł się tak, jakby był prawdziwym Zagubionym Chłopcem z Nibylandii.

– Jasiu, Misiu, kładźcie się do łóżek! – rozkazała Wendy, wchodząc do pokoju.

– Jeszcze parę minutek – błagał Miś. – Kapitan Hak zaraz pośle mnie za burtę!

– Jutro też będziesz mógł sobie pochodzić po desce – ucięła Wendy. – A teraz pora spać!

– Proszę, daj nam jeszcze chwilkę! – nalegał Jaś.

– No dobrze, wychodzę, ale niedługo wrócę, i to będzie nieodwołalny koniec zabawy – powiedziała Wendy.

Jaś zeskoczył z łóżka i chłopcy znów zaczęli potyczkę.

Czas mijał szybko i wkrótce przyszła Wendy.

– Teraz już naprawdę pora spać – zapowiedziała braciom. – Tak się umówiliśmy.

Miś i Jaś odłożyli miecze i z ociąganiem położyli się do łóżek.

Wendy zgasiła światło i sama też się położyła. Nocowała u chłopców, bo w jej sypialni nie zakończyło się jeszcze malowanie ścian.

Miś owinął się kołdrą i wtulił policzek w pluszowego misia. Było mu błogo, ale nie czuł się senny.

Wkrótce Miś, słysząc spokojne oddechy Wendy i Jasia, stwierdził, że już zasnęli. Sam na próżno zaciskał powieki. Sen jednak nie przychodził. Zaczął więc wyobrażać sobie Kapitana Haka ścigającego Piotrusia Pana – i rozczarowanie na twarzy pirata, gdy Piotruś mu umknął!

Nagle coś zaszeleściło, zastukotało, a potem rozległ się cichy świst. Miś uniósł powieki i zobaczył, że okna pokoju są otwarte na oścież. Czyżby ktoś wkradł się do środka?

Wtem zauważył cień na przeciwległej ścianie.

Wstrzymał oddech, a oczy z przerażenia zrobiły mu się wielkie jak spodki.

Cień miał postać Kapitana Haka!

– Tak, to z pewnością Kapitan Hak! – jęknął Miś.

Chłopiec naciągnął kołdrę na głowę, trzęsąc się ze strachu. Kapitan Hak był taki groźny! Pod kołdrą Miś wcale nie czuł się bezpieczniej. Ale musiał się upewnić, czy pirat naprawdę wdarł się do pokoju.

Powoli odchylił róg kołdry i próbował coś zobaczyć.

Nadal nie widział Haka, ale wielki cień Kapitana ciągle majaczył na ścianie. Chłopcu wydawało się, że pirat najpierw rozejrzał się wokół, a potem zaczął się przekradać na drugą stronę pokoju.

Dreszcz przebiegł Misiowi po plecach.

Kapitan Hak zmierzał w kierunku Wendy!

Miś musiał chronić siostrę! Wtem zobaczył drewniany miecz, który wystawał spod jego łóżka!

Chłopiec wyciągnął rękę i chwycił broń w chwili, gdy cień pochylił się nad Wendy. Odrzucił kołdrę i naparł na wroga!

Cień odskoczył w tył. Miś znów zaatakował, ale wtedy straszny hak cienia Kapitana Haka śmignął w jego stronę!

Miś zanurkował pod łóżko. Udało się, ostry hak nie dosięgnął go!

Po chwili cień Kapitana Haka wskoczył na łóżko, a Miś zamarł, czekając z drżeniem, że teraz jednak hak go zagarnie.

Mimo woli Miś zastanawiał się, czemu widzi tylko cień Kapitana Haka. A gdzie może się ukrywać sam pirat?

Wreszcie stwierdził, że nie będzie dłużej tkwić pod łóżkiem, bo wróg dopadnie go tu lada chwila! Trzeba się ratować!

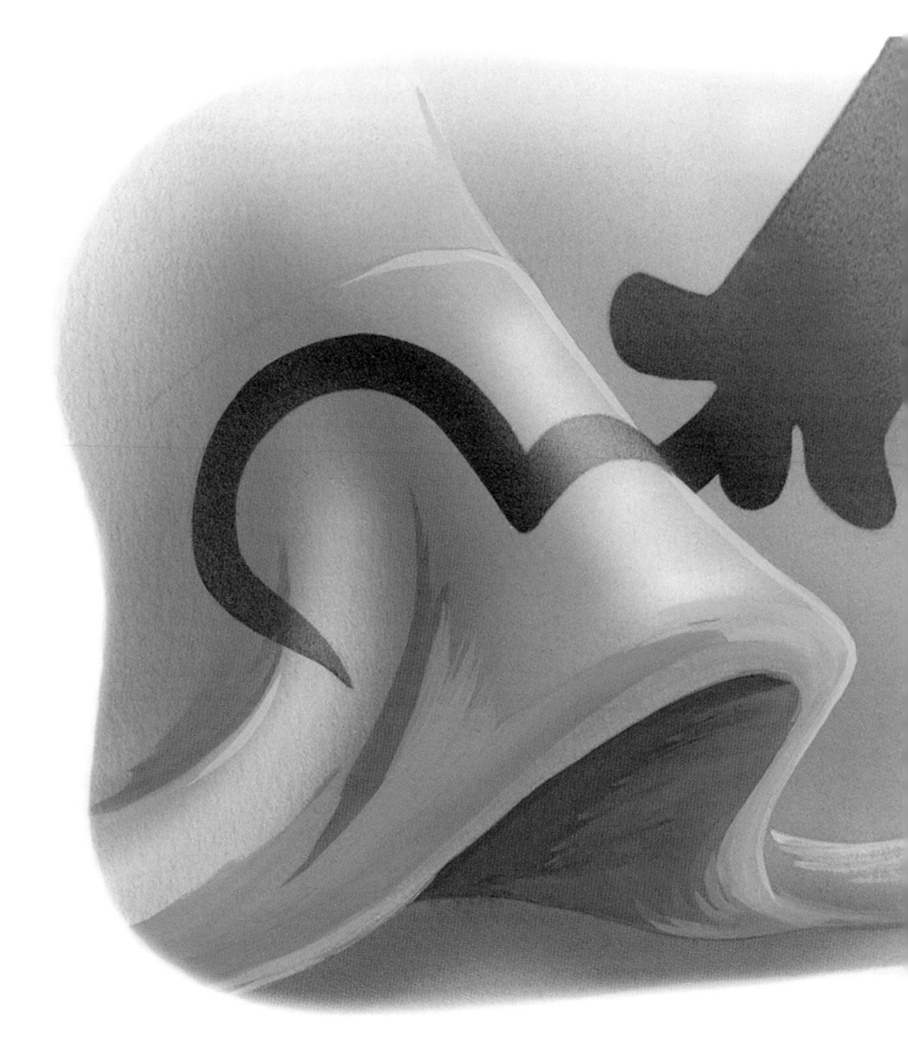

Miś ruszył na środek pokoju. Cień rzucił się za nim. Chłopiec odskoczył w tył, wpadł na piłkę leżącą na podłodze i upadł na plecy.

Cień skradał się ku niemu.

„Teraz Kapitan Hak na pewno mnie złapie” – pomyślał Miś.

Drżąc, wyobrażał sobie Krokodyla czekającego z rozwartą paszczą na chłopców z Nibylandii, którzy spadli z deski sterczącej za burtą statku Haka.

– *Kukuryykuu!* – zapiał przeraźliwie jakiś głos.

– Piotruś Pan! – krzyknął Miś na widok swojego ulubieńca wlatującego przez okno. – Jak się cieszę, że przybyłeś! Kapitan Hak próbował porwać Wendy, ale go powstrzymałem.

– On jest tutaj? – zapytał Piotruś i powiódł wokół bystrym spojrzeniem spod zmrużonych powiek. – Zaraz go dorwę! – Ale to tylko cień Haka, Misiu – dodał. – Za nim!

Cień próbował uciekać, ale Piotruś nie dawał za wygraną.

TOYS

– Więc to tylko cień? – zapytał Miś.

I od razu przestał się bać.

Zerwał się z podłogi i dołączył do Piotrusia.

Cień pomykał w kierunku drewnianej skrzyni na zabawki.

– Łap go teraz! – zawołał Piotruś.

Miś zaatakował cień z lewej, a Piotruś z prawej strony. Wróg został wzięty w dwa ognie! I pokonany!

– Wsadź go tutaj! – zakomenderował Piotruś, nadstawiając worek.

Miś wepchnął cień do worka, a Piotruś zawiązał worek sznurem.

– Uff! – sapnął Piotruś. – Niezła akcja.

– Dlaczego był tu cień Haka, a nie Hak? – zapytał Miś.

– Ukradłem Kapitanowi cień, bo ten cień rozrabiał – wyjaśnił Piotruś. – I to jak rozrabiał! Przez niego były same kłopoty, gdyż wiązał Zagubionym Chłopcom poły koszul i wkładał im do łóżek szyszki. A potem wymknął się z Nibylandii.

– To straszne! – wykrzyknął zatrwożony Miś.

Piotruś skinął głową.

– Muszę wrócić z nim teraz do naszej krainy i odstawić go na statek Kapitana Haka, póki załoga jeszcze śpi.

– Dobry pomysł – powiedział Miś.

– Chcesz polecieć ze mną? – zapytał Piotruś Pan. – To będzie wielka przygoda!

– Nie chciałbym odlecieć bez Wendy i Jasia – odpowiedział bez wahania Miś.

– Więc zabierzmy ich z sobą! – zawołał Piotruś i przefrunął nad łóżko Wendy.

Już sięgał, żeby łagodnie nią potrząsnąć, lecz cofnął rękę.

– Oj nie. Wiesz, ona bardzo mocno śpi – stwierdził.

Popatrzył na Jasia i pokręcił głową.

– Jaś też śpi.

– Więc może polecimy z tobą następnym razem – zaproponował Miś.

– Następnym razem – odpowiedział jak echo Piotruś, wskakując na parapet. – Do widzenia, Misiu. Pożegnaj ode mnie Wendy i Jasia! – zawołał, odlatując w noc.

– Pożegnam! – odkrzyknął Miś.

Pomachał Piotrusiowi i z uśmiechem wrócił do łóżka. Cieszył się, że znów miał przygodę z Piotrusiem Panem.

KUBUŚ I PRZYJACIELE

Miś i duchy

Każdego roku, kiedy w październiku zaczynają wiać chłodne wiatry, nadchodzi ten szczególny dzień. Mrok robi się odrobinę bardziej mroczny. Liście na drzewach niepokojąco szeleszczą. Wszystko jest trochę straszne. Tego szczególnego dnia Kubuś, przebrany za wielką pszczołę, wlewał sobie do pyszczka ostatnią kroplę miodu.

– Trenuję na Halloween – powiedział do siebie z chichotem. – Nie przepadam za straszeniem, ale strasznie lubię świętować.

Po chwili do jego chatki wskoczył ktoś przebrany za szkielet.

– Nie spóźniłem się? – upewnił się Tygrys, bo to był on.

Za Tygrysem weszły dwa Kłapouchy – prawdziwy, owinięty bandażami jak mumia, i Świstak przebrany za Kłapouchego.

– Cześć, Świstaku i Kłapouszku – powiedział Kubuś.

– *Ding-dingabit!* – odpowiedział Świstak. – Moje przebranie nie jest najlepsze, skoro domyśliliście się, że to ja! – I pobiegł po nowy kostium.

– Chodź, Kubusiu! – zawołał Tygrys. – Bo nie zdążymy!

– Ale najpierw musimy wstąpić po Prosiaczka – odrzekł Miś.

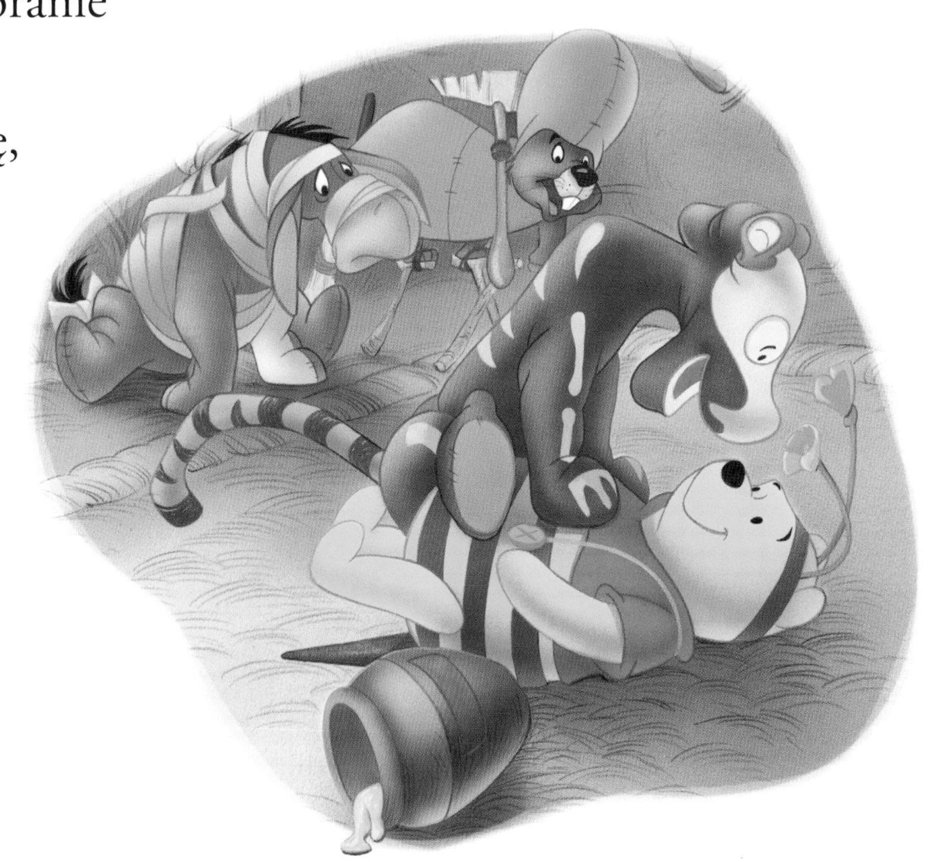

Tymczasem Prosiaczek stał w swoim pokoju, oglądając przebranie, które sobie zrobił. Tak naprawdę nie przepadał za Halloween. To święto odrobinę go przerażało. Ale uznał, że jego kostium jest całkiem udany.

Wtem drzwi wejściowe rozwarły się z łomotem i do środka wskoczył Tygrys. Za nim zjawili się Kubuś i Kłapouchy.

– *Buu!* – wrzasnął Tygrys.

Prosiaczek popędził do wyjścia.

– Zaraz, Prosiaczku – powiedział zdziwiony Miś. – A gdzie jest twoje przebranie?

– Słuchajcie, czas nas goni – ponaglił Tygrys. – Do zachodu słońca pozostał kwadrans. Zaraz zaczynamy straszyć!

– Och… ale ja… – zająknął się Prosiaczek, który nie miał ochoty wychodzić z domu.

– Gdy Prosiaczek będzie się przebierał, pójdę wypróbować mój kostium – oświadczył Kubuś. – Może uda mi się wystraszyć coś słodkiego od naszych przyjaciółek z miodowego drzewa!

– Ależ Kubusiu… – zaczął Prosiaczek.

– Lepiej, żebyś nie zdradzał mojego imienia, bo pszczoły mogą nabrać podejrzeń – powiedział Miś, ruszając do wyjścia.

– Dosyć gadania – uciął Tygrys. – Zabierajmy się do straszenia!

I pobiegł za Kubusiem.

Pszczoły przejrzały jednak zamiar Misia i zaczęły gniewnie brzęczeć! Kubuś i jego kompani rzucili się do ucieczki, ścigani przez cały rój!

Królik stał przy swoich grządkach i wpatrywał się w dynie, które wyglądały fantastycznie!

– *Bzzz! Bzzz! Bzzz!* – brzęczały pszczoły.

Usłyszawszy ich gniewne brzęczenie, Królik uniósł głowę i zobaczył Kubusia, Prosiaczka, Tygrysa i Kłapouchego, którzy pędzili prosto na niego i tratowali jego piękne dynie.

Pszczoły dostrzegły Królika i ruszyły do ataku. Królik zrobił unik, a rój śmignął pomiędzy jego uszami i poleciał dalej.

Pszczoły zniknęły, ale dynie na grządkach zostały stratowane.

– Halloween z całą pewnością nie należy do moich ulubionych świąt! – burknął nadąsany Królik.

Wkrótce zapadła noc, zaczęło się Halloween, ale rozszalała się burza i wszyscy pouciekali do domów.

Prosiaczek zatarasował stołem drzwi swojego domku i wywiesił na nich napisy: STRACHY, TU STRASZY! oraz DUCHOM WSTĘP WZBRONIONY!

Zmartwiał, kiedy usłyszał, że ktoś do niego puka.

– K-kto… kto tam? – pisnął, zakrywając oczy.

– To ja… oni… my! – odpowiedział bardzo puchatkopodobny głos.

– Kubuś? – upewnił się Prosiaczek. – A skąd mam wiedzieć, że to naprawdę ty? Wpuszczę cię, jeśli powiesz coś, co tylko ty byś powiedział. Na przykład: „Jestem Kubuś".

– Ty jesteś Kubuś? – zdziwił się Kubuś. – To kim ja jestem?

– Kubuś to ty! – zniecierpliwił się Prosiaczek i wpuścił przyjaciela.

– Prosiaczku, czy pójdziesz z nami na Halloween? – zapytał Kubuś.

– Obawiam się, że za bardzo się boję – przyznał się Prosiaczek.

– To świetnie – odparł Miś. – Inaczej nie byłoby Halloween. Po prostu z Halloween zrobiłoby się nie-Halloween.

– No tak, Kubusiu – odpowiedział niepewnie Prosiaczek.

Teraz musieli tylko przeczekać burzę.

Wreszcie burza
zaczęła przycichać.
Kubuś popatrzył
za okno i zmarszczył
brwi.
– Mam nadzieję,
że Prosiaczek zbytnio
się nie przestraszy
– powiedział do siebie.
Po czym dodał:
– Myślę, że musimy
coś z tym zrobić. Ale co?
Usiłował się skoncentrować.
– Myśl, myśl, myśl! – upomniał się.
I rzeczywiście, ku swojemu
zdumieniu, wymyślił coś!
– Skoro – rozważał – Prosiaczek boi się świętować z nami Halloween,
dlaczego my nie mielibyśmy świętować z nim nie-Halloween?

Niedługo potem Tygrys aż podskoczył, kiedy nagle otwarły się drzwi jego domu i stanęły w nich dwie postacie zakutane w prześcieradła!

– Strachy! – zawył i tak gwałtownie usiłował schować się za samego siebie, że nadepnął na własny ogon i padł jak długi.

Strachy zrzuciły płachty. Okazało się, że byli to Kubuś i Kłapouchy.

– Wstąpiliśmy do ciebie po drodze. Idziemy do Prosiaczka, żeby obchodzić z nim nie-Halloween – wyjaśnił Kubuś. – Dołączysz do nas? Mamy nowe przebrania, bo tamte zniszczyły się na dyniowych grządkach.

– Na co jeszcze czekamy? – zawołał Tygrys, chwytając prześcieradło.

Byli już prawie przy domu Prosiaczka, kiedy Kubuś okryty prześcieradłem zaplątał się w zwisającą gałąź. Miś był przekonany, że to sprawka jakiegoś ducha, który uwięził go w swoich lodowatych szponach!

– Pomocy! – wrzasnął Kubuś. – Duchy!

– To ty, Kubusiu? – zawołał Prosiaczek, słysząc krzyki przyjaciela.

Tygrys i Kłapouchy w swoich halloweenowych przebraniach usiłowali wyplątać Misia z pułapki.

– O niee! – jęknął Prosiaczek, widząc dwie przerażające postacie. – Duchy dopadły Kubusia! Muszę go ratować, czy to Halloween, czy nie!

Nagle wzrok Prosiaczka padł na strój halloweenowy, który przygotował.

– Pokażę tym strachom, co to znaczy naprawdę się bać! – krzyknął.

Założył swój przerażający kostium i wyszedł z domku, gotów za wszelką cenę ocalić przyjaciela.

– *Uuuu!* – zawył najpierw cicho, a potem na cały głos.

Kubuś, Kłapouchy i Tygrys spojrzeli z przerażeniem w jego stronę i uciekli w panice, zostawiając prześcieradło Misia wiszące na gałęzi.

Minęli w pędzie zaskoczonego Świstaka, przebranego w króliczy kostium z długimi kłapiącymi uszami.

– Uważaj! Strachy! – wrzasnęli do niego.

Świstak przystanął, żeby się rozejrzeć, ale w tym momencie rozpędzony Prosiaczek zbił go z nóg. Obaj potoczyli się po ścieżce.

Królik, który stał z parasolem rozpostartym nad swoimi biednymi dyniami, chroniąc je od deszczu, uniósł głowę.

– O nie, znów! – zdążył krzyknąć i już leżał, bo wpadli na niego Kubuś, Tygrys i Kłapouchy.

Za moment dołączyli do nich Prosiaczek i Świstak i wszyscy tak się skłębili, że wokół fruwały kawałki dyń i strzępy strojów.

Wreszcie kłąb ciał rozplątał się i okazało się, że nigdzie nie widać żadnego ducha.

– Uratowałeś nas – powiedział Kubuś do Prosiaczka. – Ty jesteś tu z nami, a nie strachy. One musiały uciec na twój widok!

– Spisałeś się, Prosiaczku! – pochwalił Tygrys.

Przyjaciele Prosiaczka po kolei uścisnęli mu dłoń.

– Prosiaczku – powiedział Tygrys. – Nie zdecydowałeś się jeszcze, kim chciałbyś być w Halloween!

– Zdecydowałem się – odpowiedział z uśmiechem Prosiaczek. – Chcę być najlepszym i najdzielniejszym przyjacielem Kubusia!

– I to mi się najbardziej podoba – rzekł Kubuś, odwzajemniając uśmiech.

Auta

Złomek i Upiorne Światło

Holownik Złomek lubił robić kawały swoim przyjaciołom, a zwłaszcza ich straszyć. Pewnego wieczoru zakradł się do salonu Casa Della Tires, gdzie Guido i Luigi podziwiali idealnie równe stosy opon, które ułożyli przed własną firmą.

Złomek wpadł znienacka między te stosy, wrzeszcząc i robiąc groźne miny. Opony potoczyły się po całym dziedzińcu! Guido i Luigi aż podskoczyli z przerażenia.

Złomek śmiał się do rozpuku, przekonany, że udał mu się dowcip.

Dziś, kiedy Zygzak McQueen i Sally rozmawiali sobie spokojnie w kafejce Loli, Złomek zahamował przed nimi z piskiem opon.

– *Heeja!* – wrzasnął, a potem zwrócił się do McQueena, radośnie szczerząc zęby:

– Rany, stary! – Wyglądasz, jakbyś zobaczył Upiorne Światło!

– A co to jest? – zapytał McQueen.

W tym momencie nadjechał Szeryf i zaczął opowiadać autom o tajemniczym błękitnym świetle, które pokazuje się w Chłodnicy Górskiej.

– Wszystko rozpoczęło się takiego wieczoru jak ten. Pewna młoda para zjeżdżała stromym odcinkiem szosy 66, gdy nagle oboje zobaczyli nieziemski niebieski blask… i za moment zostały z nich tylko tablice rejestracyjne!

– Nie ma się co bać, stary, to tylko sensacyjna opowiastka – szepnął Złomek do McQueena.

– Tak było naprawdę! – zaprotestował głośno Szeryf. – A tym, co najbardziej irytuje Upiorne Światło… jest dźwięk rozklekotanej blachy!

Słysząc te słowa, Złomek nie mógł się opanować i trząsł się całą karoserią.

– *Klank! Klank! Brzdęk! Szczęk!*

Miał jednak nadzieję, że Upiorne Światło go nie słyszy.

Kiedy Szeryf skończył swą opowieść, bywalcy kafejki pożegnali się i szybko rozjechali do domów.

RATTLE
CLANK

POP
RATTLE
CLANG!

Złomek został sam na pustej ciemnej jezdni. *Ups!*

Przerażony holownik ruszył do swojej szopy na złomowisku. W pewnej chwili wydawało mu się, że na poboczu czai się potwór, ale było to tylko powykręcane drzewo. A tak się biedaczek trząsł, że jego jedyny reflektor odpadł i stłukł się.

Złomek stracił dech ze zgrozy, kiedy dostrzegł niewielkie jasne światełko zbliżające się ku niemu.

– O niee! To na pewno Upiorne Światło! – jęknął.

Światło zatrzymało się tuż przed maską Złomka, który ośmielił się spojrzeć na nie, otwierając jedno oko.

– Och, to tylko robaczek świętojański – stwierdził, chichocząc nerwowo. – Przecież Szeryf powiedział, że Upiorne Światło jest błękitne.

W tym momencie zobaczył jednak przed sobą błękitne światło!

– *Aaaach!* – wrzasnął i zaczął uciekać, chcąc je zgubić.

EYAAAH!

– Upiorne Światło jest tuż za mną! – krzyknął, dodając gazu.
– A teraz przede mną! – darł się, półżywy z przerażenia.
Śmignął przez pole jak rakieta, budząc śpiące traktory, które poprzewracały się na plecy. Przejechał przez Wzgórze Willysa i miotał się dalej po okolicy, ale choć dawał z siebie wszystko, nie zdołał ani na sekundę uwolnić się od Upiornego Światła.
– Upiorne Światło zaraz mnie pożre! – ryczał, rwąc przed siebie.

Wreszcie zahamował przed kafejką Loli. Zobaczył McQueena, Sally i inne auta, które patrzyły na niego, śmiejąc się do rozpuku.

Złomek spojrzał na jezdnię i zobaczył, że Upiorne Światło to po prostu latarnia zawieszona na jego wysięgniku.

– Ej, zaraz… – zająknął się.

– Ale numer! – zawołał rozbawiony McQueen.

– Wcale nie dałem się nabrać – zapewnił Złomek. – Od początku wiedziałem, że to był kawał.

– Rozumiem, synu, to była tylko twoja wybujała wyobraźnia – powiedział Szeryf.

– Jasne. I oczywiście wrzeszczący upiór – dorzucił Wójt Hudson.

– Wrzeszczące… co? – zapytał z lękiem Złomek.

Szykowała się kolejna przerażająca opowieść…

Potwory i S-ka

Straszna szkoła

Tego dnia Mike Wazowski jak zwykle zjawił się w fabryce Potwory i S-ka. Pracował tu jako zawodowy rozśmieszacz dzieci. Ale dziś jego szef Sulley nie wysłał ani Mike'a, ani też żadnego z potworów do pokoi dziecinnych. Zamiast tego ogłosił coś, co miało za chwilę obrzydzić życie biednemu Mike'owi!

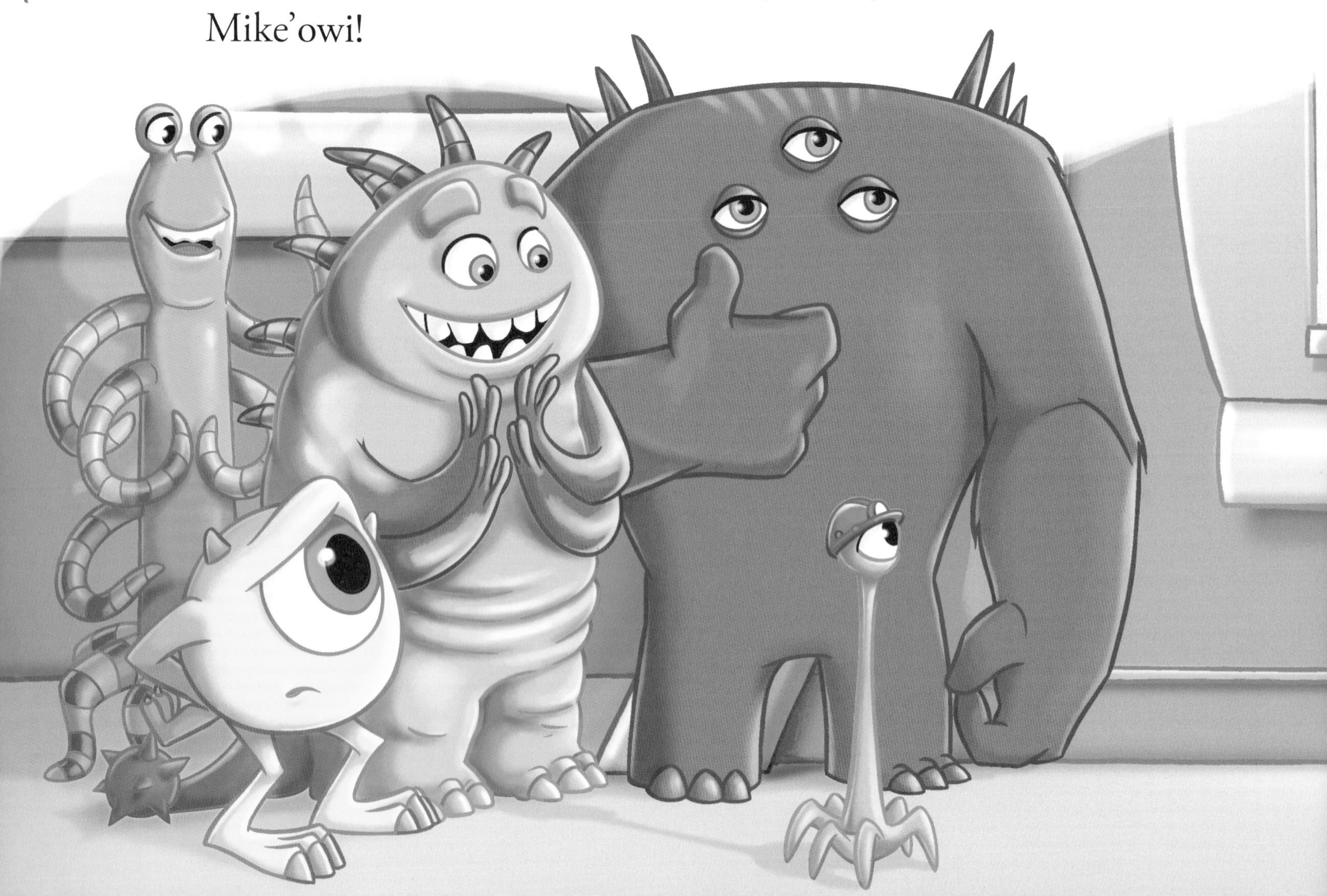

– Miłe potwory – zaczął Sulley. – Postanowiłem oddelegować wszystkich pracowników naszej fabryki na kurs bezpieczeństwa i higieny pracy.

„Znów szkółka?” – pomyślał Mike.

Przypomniał sobie młode lata i lekcyjną nudę – i momentalnie zrobił się nerwowy.

– Nie, Sulley! – zaprotestował. – Nie pójdę z powrotem do szkoły. A jak nie dam sobie rady? Co będzie, jeśli nowe potwory nie polubią mnie? Albo jeżeli okażą się duchami?

– Wyluzuj, Mike – odparł Sulley. – Wiem, co zrobić, żebyś to zaliczył.

Jeszcze tego samego popołudnia Sulley zabrał Mike'a, żeby pokazać mu szkołę. Lekcje miały zacząć się nazajutrz.

Przeszli korytarzem i znaleźli szafkę przygotowaną dla Mike'a. Wazowski otworzył ją, żeby zobaczyć, ile jest w niej miejsca.

Nagle z boku wyskoczyło coś fioletowego o wielkich pazurach!

– Aaaach! – wydarł się Mike i jednym skokiem znalazł się w objęciach Sulleya.

W tym samym momencie rozpoznał w monstrum kolegę z pracy. Zmieszany uśmiechnął się i ruszył w stronę sali lekcyjnej.

– Poznaj swoją nauczycielkę – zaproponował Sulley.

– Roz?! – wykrzyknął Wazowski.

– Dla ciebie profesor Roz, Wazowski! – przywołała go do porządku. – Poprowadzę wasz kurs BHP.

Mike wcale się nie zmartwił.

Wiedział, jak podejść Roz. Jeśli będzie się starał, da mu pożyć.

Część potworów z klasy Mike'a również postanowiła wcześniej odwiedzić szkołę.

– Cześć, Mike! Gotów do wkuwania? – zagadnął Fungus. – Poznaj Bena z Poziomu Śmiechu C.

– Rany! – wykrzyknął nagle Ben, który wpatrywał się w coś ponad głową Mike'a, a oczy zrobiły mu się wielkie jak spodki.

Mike zesztywniał i znów zrobił się spięty. Czy Ben ujrzał ducha?

– Uaa! – wykrzyknął Fungus. – Potworastyczne!

To nie brzmiało najgorzej. Mike otworzył teraz oko i zobaczył największe drzwi, jakie widział w życiu. Wisiała na nich tabliczka: TYLKO DO ĆWICZEŃ.

„Ćwiczenia w przechodzeniu przez szafy – pomyślał Mike. – To już lepiej!".

Tego wieczoru Sulley zapoznał Mike'a z planem zajęć i pomógł mu spakować szkolny plecak.

– Teraz już poznałeś szkołę i masz tam paru znajomych – powiedział. – Możesz zacząć naukę!

– Nie byłbym taki pewien – mruknął Mike.

– Ale ja jestem pewien – stwierdził Sulley. – Dobrze ci pójdzie!

Rzeczywiście, Mike od razu świetnie poczuł się w swojej klasie. Szkoła nie wydawała mu się już taka straszna.

Roz była pod wrażeniem jego postępów w nauce.

Mike chętnie pomagał innym w przyswajaniu wiedzy.

Pewnego dnia wystąpił przed klasą z odczytem na temat zasad bezpieczeństwa pracy.

– Do rozśmieszania dzieci nie używajcie bananów – ostrzegał – bo możecie poślizgnąć się na skórce!

Kiedy skończył, dostał oklaski. Naprawdę zaczynał lubić tę budę!

Mike ukończył kurs BHP z najwyższą lokatą. Już dawno zapomniał, jak bardzo bał się szkoły.

– Jestem z ciebie dumna, Misiu-Ślipisiu – powiedziała jego dziewczyna Celia.

– Och, to była bułka z masłem – odparł ze śmiechem. – Szkoła mnie kocha, to fakt!

– Święta racja! – wykrzyknął nagle upiorny głos za jego plecami.

Mike odwrócił się gwałtownie i zobaczył… Sulleya, który stał za nim, szczerząc zęby.

– Wystraszyłem cię? – zapytał Sulley.

– Co? Mnie? – obruszył się Mike. – W życiu!

Wróżki

Duch Drzewa Domowego

Okrągły księżyc lśnił nad Przystanią Elfów. Dzwoneczek, Lila, Jelonka i Skłonka, siedząc na konarach Drzewa Domowego, opowiadały sobie historie o duchach.

Dzwoneczek, Lila i Skłonka mogłyby bez końca słuchać takich opowieści, bo po prostu je uwielbiały, ale Jelonka uznała, że na dziś wystarczy już tego straszenia.

Nazajutrz Jelonka przebrała się za Skłonkę i zakradła się do jej pokoju, kiedy przyjaciółka jeszcze spała. Ukryła się za toaletką i wyjęła lustro z ram.

Gdy Skłonka obudziła się i usiadła przy toaletce, Jelonka powtarzała wszystkie jej ruchy – tak wiernie, że Skłonka nawet nie zauważyła, iż tak naprawdę patrzy na Jelonkę, a nie na swoje odbicie w lustrze.

Jakże się przeraziła, kiedy Jelonka wyciągnęła rękę i złapała elfę za nos!

Skłonka wrzasnęła, ale potem zaczęła chichotać.

– Wystraszyłaś ze mnie cały magiczny pyłek! – zawołała, śmiejąc się.

Jelonka wiedziała, że Skłonka też lubi robić kawały i na pewno nastąpi rewanż.

Minęło jednak kilka dni i nic się nie działo.

Któregoś wieczoru Jelonka poszła do stodoły, by odwiedzić znajomą myszkę. A ponieważ podobnie jak Skłonka miała magiczny dar porozumiewania się ze zwierzętami, gawędziła sobie ze zwierzątkiem.

Nagle kątem oka spostrzegła ogromny cień na ścianie stodoły – trzy razy większy od jej cienia. Jelonka przeraziła się.

„Co to może być? I jak tu uciec?" – myślała gorączkowo, trzęsąc się ze strachu.

Odwróciła się w panice, żeby zobaczyć potwora. Zamiast niego ujrzała Skłonkę i Ćmę – świetlisto utalentowaną elfę. Chichotały, bo ten cień był ich dziełem.

– Skłonko, ale mnie przestraszyłaś! – wykrzyknęła ze złością Jelonka.

– Teraz jesteśmy kwita – powiedziała Skłonka.

Ale Jelonka była innego zdania…

W ciągu najbliższych dni Jelonka zaskoczyła Skłonkę kolejnymi kawałami. Skłonka nie pozostała dłużna – i tak trwała ta rozgrywka.

Jelonka postanowiła wymyślić pokazowy numer, aby ostatecznie udowodnić przyjaciółce, że jest mistrzynią psikusów.

Następnego ranka Jelonka leżała jeszcze w łóżku, kiedy Skłonka wpadła do niej jak bomba.

– Nie wiem, jak to zrobiłaś! – wykrzyknęła. – W dodatku nawet nie budząc mnie!

– Co takiego? – zdziwiła się Jelonka, która nie miała pojęcia, o czym mówi przyjaciółka, dopóki nie weszła do jej pokoju.

Prawie wszystko było tam odwrócone do góry nogami!

– Chciałabym coś takiego wymyślić! – zawołała Jelonka.

– Zaraz, skoro ty tego nie zrobiłaś, to…? – Skłonka była kompletnie zaskoczona.

– No właśnie, kto to zrobił? – zapytała Jelonka.

Zaczęły podejrzewać inne wróżki. A może to… Drzewo Domowe było tym żartownisiem!

Czy był to duch, czy nie, jedno stało się jasne – ktoś uwziął się na Jelonkę i Skłonkę i robił im kawały.

Kiedy obudziły się następnego ranka, wszystko w ich pokojach pokrywała tajemnicza zielona maź! Idąc tropem zielonej substancji, trafiły do kuchni w Drzewie Domowym. Tam odkryły, że zielony ślad zaczyna się od otwartego słoika konfitury z kiwi.

– Ktoś rzucił nam wyzwanie – orzekła ze śmiechem Jelonka. – I widać, że nie jest zielony w tych sprawach!

Jelonka i Skłonka postanowiły złapać tajemniczego dowcipnisia lub dowcipnisię. Umówiły się, że tej nocy obie będą spały w pokoju Jelonki. Zastawiły tam wymyślne pułapki z najcieńszych pajęczych sieci i powiesiły malutkie dzwoneczki przy drzwiach i oknach.

– Nikt nie wejdzie do tego pokoju bez naszej wiedzy – stwierdziła Jelonka, gdy układały się do snu.

W środku nocy obudził je jakiś hałas. Jelonka jednym susem wyskoczyła z łóżka, żeby wyjrzeć na korytarz. Nagle – *Diing! Diing!* – rozdzwoniły się dzwoneczki, gdy uwięzła w pajęczynie, którą sama zawiesiła.

– Ojej! – krzyknęła przerażona.

Wyplątała się z pułapki z pomocą Skłonki i razem ruszyły korytarzem, podążając za dziwnym cichutkim zawodzeniem. Czyżby były na tropie ducha Drzewa Domowego?

W końcu okazało się, że to zaprzyjaźniony koliber ćwiczący nowe trele. Ponieważ był jednak nieco przeziębiony, dźwięki, które wydawał, brzmiały jak zawodzenie ducha!

Wróżki wróciły do łóżek, śmiejąc się do rozpuku z własnej głupoty.

Kiedy Jelonka obudziła się rano, osłupiała. Leżała na stole w kuchni okryta obrusem, a nie kocem!

Słodka – piekarsko utalentowana elfa – stała obok, patrząc na nią zdumiona.

– Rany! – zawołała. – Dlaczego śpisz w kuchni?

– N-n… nie wiem – wyjąkała Jelonka, która była zszokowana całą tą trudną do zrozumienia sytuacją.

Jelonka pobiegła do Skłonki, żeby opowiedzieć jej, co się stało.

– Skłonko, Skłonko, obudź się! – krzyknęła.

Skłonka ziewnęła szeroko.

– Nie wiesz, która godzina? – zapytała z wyrzutem.

Jelonka szybko zdała sprawozdanie przyjaciółce, z tego, co się zdarzyło.

– Chcesz powiedzieć, że ktoś przeniósł cię z sypialni do kuchni, kiedy spałaś? – nie dowierzała Skłonka.

Jelonka przypomniała jej, że zapomniały ustawić z powrotem pułapki, kiedy w nocy wróciły do łóżek.

– Ten dowcipniś musiał po prostu wejść drzwiami – stwierdziła. – Gdybyśmy zastawiły pułapkę, zostawiłby ślad!

Jelonka i Spłonka uknuły już nowy plan. Tej nocy, kiedy wszyscy mieszkańcy Drzewa Domowego zasnęli, zastawiły więcej zmyślnych pułapek – głównie na korytarzach. Teraz miały pewność, że nikt nie prześlizgnie się niepostrzeżony do ich sypialni.

– Tym razem nie kładę się spać – zapowiedziała Jelonka. – Powinnyśmy zasadzić się na korytarzu. Kiedy zobaczymy, że ktoś nadchodzi, ukryjemy się i będziemy go obserwować. Dopadniemy dowcipnisia, zobaczysz!

Jelonka i Skłonka siedziały skulone za wielką donicą. Latarnie rzucały tajemnicze cienie. Na zewnątrz hulał wiatr, a gałęzie ogromnego drzewa kołysały się i skrzypiały.

Wtem w oddali pojawił się ciemny kształt! Jelonka wstrzymała oddech… ale to był tylko żuk.

Czuwanie i czekanie okazało się bardziej przerażające, niż myślała!

Jelonka przymknęła oczy, usiłując uspokoić umysł. Powędrowała we wspomnieniach do ostatniego festynu przy pełni księżyca, do kolorowych lampionów, serpentyn, stołów zastawionych przysmakami i wróżek w kolorowych sukniach, wirujących w tańcu…

Nagle nocną cisze przerwał głośny dźwięk. *Diiiiinng!*

– Pułapka zadziałała.

Jelonka ocknęła się z marzeń.

– Kim jesteś? – zawołała, a potem spojrzała w dół. Pajęczyny i dzwonki spowijały ją całą!

Sama wpadła w pułapkę? Ale jak?

– Jelonko – zdziwiła się Skłonka – wyszło na to, że ten tajemniczy dowcipniś to ty?

Jelonka była w szoku.

– I nie wiedziałabym o tym? – spytała ogromnie zdziwiona, nic nie rozumiejąc.

– Nie, bo wszystko robiłaś we śnie – wyjaśniła Skłonka. – Niedawno widziałam, jak tańczyłaś w nocy, śpiąc, więc możliwe, że wpadłaś we własną pułapkę.

I pokazała, co robiła przyjaciółka. Wirując tanecznie, ruszyła korytarzem z zamkniętymi oczami.

– Jelonko – podsumowała Skłonka, poważniejąc – myślę, że jesteś lunatyczką!

Jelonka ciągle nie mogła w to uwierzyć. Ale im więcej zastanawiała się nad słowami przyjaciółki, tym bardziej się upewniała, że Skłonka może mieć rację.

Przypomniała sobie, iż tamtej nocy, kiedy w sypialni Skłonki wszystko zostało wywrócone do góry nogami, śniło jej się, że odwraca różne przedmioty.

Poza tym rzeczywiście przepadała za konfiturą z kiwi.

– Może zachciało mi się w nocy jeść – przyznała.

– A następnej nocy zachciało ci się jeszcze bardziej i skończyłaś na kuchennym stole – skwitowała Skłonka.

101 DALMATYŃCZYKÓW

Niespodziewana wizyta Cruelli

Pewnego wiosennego ranka Roger wyszedł do ogrodu nowego domu. Posiadłość, którą on i jego żona Anita kupili niedawno, nazywano Fermą Dalmatyńczyków. Było w niej wystarczająco wiele miejsca, by pomieścić aż sto jeden kropkowanych rozbrykanych psów.

Roger, w słomkowym kapeluszu na głowie, taszczył ze sobą szpadel, motykę, grabie i jeszcze kosz z paczuszkami nasion oraz sznurkiem i kołkami do wytyczania grządek. Za nim, podskakując, biegło kilka piesków, ciekawych, co będzie robił ich pan. Nigdy dotąd nie widziały takich narzędzi.

– Wyhoduję największy, najbardziej zielony ogród warzywny w całej Anglii! – zapowiedział Roger. – Pomyśl tylko, Plamo, ile tam urośnie groszku dla ciebie! Szczęściarz będzie miał sałaty do woli, a ty, Rolly, przekonasz się, co to znaczy wcinać pyyyszne rzodkiewki!

– *Fuj!* – szepnął Rolly do pozostałych szczeniaków.
– Rzodkiewki wcale nie brzmią dla mnie „pyyysznie". Dlaczego on nie wyhoduje psich biszkoptów?

Roger zabrał się do kopania. Kopał i kopał, aż szczeniaki zaczęły się nudzić.

– Pomóżmy Rogerowi! – zaproponował Plama.

Pieski tak ochoczo rzuciły się do roboty, że ziemia i kamyki fruwały w powietrzu.

Jeden z kamyków uderzył Rogera w głowę.

– Hola, psiaki! – zawołał, pocierając czoło i spoglądając na wielką dziurę, którą wykopały jego pupilki. – Nie kopiemy basenu! Lepiej sam to zrobię, dobrze?

Pieski usiadły więc w cieniu i obserwowały, jak ich pan kończy robotę. Po chwili Roger zaczął rozmieszczać w gruncie kołki i rozpinać na nich sznurek.

– Roger chyba rzuca nam patyki i chce, żebyśmy mu je przynieśli – powiedział Szczęściarz do Penny'ego. – Pokażmy mu, jacy jesteśmy dobrzy w tej zabawie!

Dwa szczeniaki pobiegły do grządek, porwały patyki razem ze sznurkami i popędziły do Rogera. Były tak podekscytowane, że nawet nie zauważyły, iż krążąc wokół Rogera, omotały mu sznurkami nogi. Za moment był już kompletnie obezwładniony.

– Ojej! – krzyknął i padł jak długi na kłąb piesków, kołków i sznurków.

– Nie będziemy się dzisiaj bawili w rzucanie patyków – powiedział, wyplątując się z więzów. One są po to, żeby wyznaczyć równe rządki do sadzenia nasion. Proszę, usiądźcie gdzieś z boku.

Pieski znów posłusznie odeszły w cień i usiadły. Roger z powrotem wbił kołki w grządki i wyżłobił rowki do sadzenia. Wsypał do nich nasiona i przykrył je ziemią.

– Patrzcie no tylko na Rogera! – szczeknął Penny. – On zakopuje coś w ziemi!

– Kości! – stwierdził podekscytowany Rolly. – Założę się, że zakopuje kości. Mniam!

Psy, szczekając, jak na komendę rzuciły się do rozkopywania każdego rowka, który ich pan tak starannie zakrył ziemią.

Ale znalazły tam tylko malutkie brązowe nasionka.

– *Fuj!* – skrzywił się Rolly, gdy rozgryzł jedno z nich.

– Cokolwiek to jest, paskudnie smakuje. Mam nadzieję, że to nie są rzodkiewki.

– Och, kochane psiaki! – zawołał Roger. – Jak mój ogród ma urosnąć, kiedy ciągle go rozkopujecie! Muszę znaleźć wam jakieś zajęcie.

Roger zastanawiał się przez chwilę, aż wreszcie kazał pieskom stanąć wokół niego i patykiem narysował na ziemi sylwetkę ptaka.

– To jest wrona – wyjaśnił szczeniakom. – Wrony wyjadają nasiona i nic nie może wyrosnąć. Chcę, żebyście pilnowały ogrodu i odganiały każdą wronę, która się tu pojawi. Mogę na was liczyć?

Pieski ochoczo skinęły łebkami.

Roger zrobił kolejny rysunek.

– A to jest królik. Króliki wyżerają rośliny. Kiedy zobaczycie takiego szkodnika, szczekajcie głośno i pogońcie go stąd. Mogę na was liczyć?

Pieski znów przytaknęły.

Odtąd dzień w dzień psiaki pilnowały ogrodu Rogera, oszczekując wrony i przeganiając króliki. I wreszcie na grządkach zaczęły kiełkować rośliny.

– Patrzcie tylko, jak pięknie wszystko rośnie – powiedział pewnego dnia Roger. – Jesteście świetnymi strażnikami ogrodu!

Ale kiedy pieski obserwowały ogród, ktoś inny obserwował je z ukrycia. Cruella de Mon odnalazła Fermę Dalmatyńczyków!

– Jeszcze nie skończyłam z tymi szczeniakami – mruknęła kobieta, która dla niepoznaki była ubrana w długi czarny płaszcz i czarny kapelusz z wielkim rondem. – Roger i Anita muszą kiedyś wyjechać z domu – a wtedy zagarnę te psiaki!

Jeszcze tego popołudnia Roger i Anita pojechali na zakupy.

Gdy ich auto zniknęło za zakrętem, Cruella powiedziała głośno:

– Teraz albo nigdy!

Chwyciła przygotowany worek, tak duży, by pomieścił tyle piesków, ile było jej potrzeba, i zaczęła podkradać się do ogrodu.

Akurat wtedy Rolly zwęszył królika.

– *Hau! Hau!* – zaszczekał i popędził za szkodnikiem.

Reszta szczeniaków przyłączyła się do pogoni i cała gromadka ruszyła za królikiem.

Śmignęły w stronę wzgórza, prosto na Cruellę.

Poły długiego czarnego płaszcza Cruelli powiewały jak wielkie wronie skrzydła.

Szczeniaki zobaczyły ją i stanęły jak wryte.

– To wielka wrona! – zaskowytał Rolly.

– To nie wrona, tylko Cruella! – szczeknął Plama. – Wiejmy!

Psy zawróciły w panice.

Spłoszony mały królik miotał się, szukając wyjścia z ogrodu, aż z przerażającym piskiem wpadł prosto pod nogi Cruelli…

Bach! – Cruella runęła jak długa na błotnistą grządkę. *Plop!* – Spadły jej buty i ugrzęzły w ziemi. *Fuch!* – Wiatr zwiał jej z głowy wielki czarny kapelusz. Dzięki temu szczeniaki zyskały na czasie.

– Kopcie! Kopcie dziurę! – szczeknął Rolly.

Pieski jęły kopać, ile pary w łapkach.

– *Ooch! Uch!* – krzyczała Cruella, bombardowana kamykami i bryzgami ziemi.

– Jeszcze was dorwę! – groziła, gramoląc się chwiejnie z grządek marchewek i kapusty.

– Niech jedni kopią – krzyknął Rolly – a drudzy idą za mną. Czas na zabawę z patykami!

Pobiegł do miejsca, gdzie Roger złożył kołki i sznurki, chwycił w zęby jeden kołek i zawrócił do Cruelli.

Reszta piesków poszła za jego przykładem. Biegając wokół kobiety, dokładnie omotały ją sznurkami.

Teraz była skrępowana i ledwie mogła się ruszyć. Kiedy szamotała się, usiłując się uwolnić, płaszcz zsunął się jej z ramion na grządkę sałaty.

– Przeklęte psy! – wrzasnęła, próbując złapać Szczęściarza.

Cruella usiłowała jakoś utrzymać równowagę, ale królik znów zaplątał się jej pod nogami. *Plunk!* – Kobieta wywaliła się w błotnistą dziurę, którą wykopały szczeniaki.

– *Aaach!* – wrzasnęła i usiłowała się podnieść, cała upaprana w ziemi. – *Uuuch!* – wycedziła wściekle przez zęby.

Za moment zjawili się Roger i Anita, którzy wrócili z miasta.

– Co tu się dzieje? – zawołał Roger.

Cruella zdołała wreszcie uwolnić się z więzów i wybiegła z ogrodu na pole, po czym znikła wśród drzew.

– Ojej, mój biedny ogród – westchnął Roger, a potem spojrzał na pieski i uśmiechnął się. – Ale cieszę się, że wy jesteście zdrowe i całe. To najważniejsze!

Do Rogera podbiegł Szczęściarz, niosąc w zębach kapelusz Cruelli. Plama i Penny przytaszczyli buty i torebkę. A Rolly złożył u stóp pana długi czarny płaszcz.

Roger zaczął się śmiać.

– Jesteście świetnymi szczeniakami stróżującymi – pochwalił pieski. – Ale przyda wam się pomocnik. Wykorzystajmy te rzeczy Cruelli i zróbmy stracha!

Szczeniaki powitały jego propozycję radosnym szczekaniem.

Odtąd żadna wrona ani królik nie śmiały zbliżyć się do ogrodu. Wkrótce Roger mógł się pochwalić najbardziej dorodnymi warzywami w całej Anglii.

Śpiąca Królewna

Zemsta Czarownicy

Kiedy księżniczka Aurora i książę Filip pobrali się przed dwoma laty, w całym królestwie zapanowały pokój i szczęście.

Niedługo przypadała rocznica ich ślubu.

– Pragniemy, aby wszyscy poddani weselili się razem z nami – ogłosił książę.

Ukochane przyjaciółki Aurory i Filipa, trzy Dobre Wróżki – Pogódka, Flora i Fauna – zabrały się do dekorowania pałacu. Machając różdżkami jak szalone, wyczarowywały wystrój sali balowej – najdelikatniejszą porcelanę, lśniące srebra i wiele innych szczegółów. To miał być niezapomniany bal!

W trakcie przygotowań Flora i Pogódka zaczęły się spierać o kolory kwiatów, które miały ozdobić stoły.

– Niech będą różowe! – powiedziała Flora.

– Nie, niech będą niebieskie! – stanowczo sprzeciwiła się Pogódka.

– Skończcie wreszcie tę kłótnię! Mamy jeszcze mnóstwo pracy! – zawołała Fauna.

Pogódka próbowała wyczarować girlandy na oknach, ale jej się to nie udało.

– Coś złego dzieje się z moją różdżką! – wykrzyknęła.

– Rzeczywiście – stwierdziła Flora, zerkając na swoją różdżkę. – Magia przestała działać!

Nagle zamek ogarnęły ciemności. Wróżki zbiły się w gromadkę. Co się stało? Przecież był środek dnia!

Fauna podbiegła do okna i zobaczyła, że tarcza księżyca zasłania słońce.

– To zaćmienie! – zawołała. – W czasie zaćmienia słońca wróżki tracą czarodziejską moc.

– A zaklęcia mogą stać się nieważne – dodała Pogódka.

Kiedy Aurora była malutka, zła Czarownica rzuciła na nią klątwę. Królewna po zakłuciu się w palec wrzecionem przed swoimi szesnastymi urodzinami miała umrzeć. Jednak Pogódce, która nie mogła unieważnić tej strasznej klątwy, udało się zamienić ją na głęboki sen.

Gdy Aurora zasnęła, książę Filip pocałunkiem miłości przełamał klątwę. Wszystko dobrze się skończyło, Czarownica została pokonana raz na zawsze… albo tak się wszystkim wydawało.

Gdy Zamek Cieni, w którym kiedyś mieszkała Czarownica, pogrążył się w mroku zaćmienia, ożył kamienny Kruk!

– *Kra! Kraa!* – zaskrzeczał i poleciał, by odszukać swoją panią.

Wkrótce znalazł czarny płaszcz Czarownicy i Miecz Męstwa, który jędzę zabił. Obok leżała zielona szklana kula. Ptak roztrzaskał ją uderzeniem dzioba i z odłamków uniosły się zielone opary. Po chwili Czarownica wróciła do życia!

– Chodź szybko do mnie, mój kochany – powiedziała do Kruka zła Czarownica. – Mamy mnóstwo do zrobienia. Już dość czasu zmitrężyliśmy razem.

Z Krukiem na ramieniu, zła Czarownica przywołała swoją magiczną moc, aby podsłuchać, co dzieje się w królestwie.

A tam wszyscy szykowali się do wielkiego święta.

Wiedźma strasznie się skrzywiła, usłyszawszy, że książę Flip i księżniczka Aurora pobrali się dwa lata temu. Postanowiła zniszczyć szczęście tej pary. Tym razem na pewno nic i nikt jej nie powstrzyma!

Królewski bal miał odbyć się nazajutrz. Poddani właśnie zjawili się, aby świętować radosną rocznicę.

– Dzięki, że przybyliście do nas – powiedział książę Filip, witając tłumy, a potem wręczył Aurorze prezent.

Znienacka do sali balowej wpełzła obrzydliwa, gęsta, zielona mgła.

Wszyscy zgromadzeni zadrżeli ze strachu.

– Znów nie zaprosiliście mnie na uroczystość – zaskrzeczała zła Czarownica, która pojawiła się w drzwiach i wypowiedziała zaklęcie.

Zielona mgła całkowicie zasnuła salę i obróciła uczestników uroczystości w kamienne posągi.

Oszczędziła tylko zmartwiałą ze zgrozy Aurorę.

– Zaklęcia, które rzuciły na ciebie Dobre Wróżki, gdy byłaś dzieckiem, nie uchronią cię przed samotnością. Uwiędniesz jak zerwana róża – warknęła jędza i opuściła zamek.

Aurora przepłakała wiele godzin. Jej ukochany Filip, Dobre Wróżki i wszyscy goście zostali zamienieni w kamienne posągi.

To było najgorsze ze wszystkich zaklęć, jakie mogła rzucić zła Czarownica!

Leśne zwierzęta – dawni przyjaciele Aurory – dowiedziały się o tym okrutnym zdarzeniu i przybiegły do zamku, aby pocieszyć ukochaną księżniczkę.

Po chwili Aurora otarła oczy i powiedziała:

– Muszę iść do Czarownicy i błagać ją, aby odczarowała księcia i innych.

I pobiegła, zanim zwierzaki zdołały ją zatrzymać.

Księżniczka przedzierała się przez mroczny las, kolce szarpały jej suknię, bo kiedy jędza wróciła, błyskawicznie rozrosły się cierniowe drzewa i chaszcze.

Z wieży swego zamku Czarownica obserwowała zbliżającą się Aurorę. Wiedziała, że nie może rzucić na dziewczynę czaru, bo nadal chroni ją dawne zaklęcie Dobrych Wróżek.

Musiała więc sprytnie rozegrać sprawę.

Wreszcie Aurora przybyła do niej i powiedziała:

– Błagam, zdejmij zaklęcie z Filipa i ze wszystkich, na których je rzuciłaś. Mnie zaś zamień w kamienny posąg.

– Cóż – odparła jędza – nie mogę rzucić na ciebie czaru, ale ty możesz poprosić, abym spełniła twoje życzenie.

Aurora pomyślała o swoim ukochanym i o wszystkich wspaniałych osobach zamienionych w kamienne posągi. Wiedziała, że jeśli wypowie życzenie i ta okropna wróżka je spełni, nigdy już ich nie zobaczy. Z ciężkim sercem rzekła:

– Proszę, abyś sprowadziła na mnie wieczny sen, w zamian za uwolnienie wszystkich zaklętych osób.

Czarownica uśmiechnęła się okrutnie i machnęła księżniczce nad głową swoją różdżką.

Aurora zapadła w magiczny sen!

Zła Czarownica dotrzymała słowa i zdjęła zaklęcie ze skamieniałych ludzi.

Filip się ocknął i natychmiast zaczął rozglądać się za żoną. Od razu domyślił się, że jej zniknięcie to sprawka okrutnej Czarownicy.

Całe królestwo było przerażone czynem wstrętnej jędzy – ale nie książę Filip!

– Stanę z nią do walki – orzekł. – Sam udam się do Zamku Cieni.

Kiedy tam dotarł, od razu zbiegł po schodach do podziemi, zatrzaskując za sobą wejście.

– Gdy walczyliśmy ostatnim razem, pomógł ci Miecz Męstwa – powiedziała z furią Czarownica. – Teraz nic cię nie uratuje! – dodała, zamieniając się w potężnego smoka, który wyważył drzwi i zaatakował.

Książę Filip zrobił unik i walnął bestię w łeb grubą gałęzią. Smok zaryczał i odwinął się, żeby wbić w niego jadowe zęby. Ale zamiast tego ukąsił własny ogon! Upadł z przeraźliwym okrzykiem... Tym razem okrutna Czarownica odeszła na zawsze.

A książę pobiegł szukać swojej księżniczki.

Książę Filip odnalazł śpiącą Aurorę w ciemnej komnacie. Ukląkł przy niej i delikatnie dotknął policzka ukochanej. Ale księżniczka nie obudziła się, bo choć zła Czarownica już nie żyła, jej moc nadal działała.

Zdruzgotany Filip pochylił się i pocałował Aurorę na pożegnanie.

Już nic więcej nie mógł zrobić.

– Tak mi przykro, najdroższa, że nie mogłem cię uratować – wyszeptał.

Aurora uniosła powieki.

– Filipie! – zawołała. – Właśnie mnie uratowałeś. Nic nie może się oprzeć potędze miłości.

Nadciągnęli leśni przyjaciele Aurory. Książę roześmiał się.

– Widzę, że nie tylko ja tęskniłem za tobą!

Kiedy Filip i Aurora wrócili do królewskiego zamku, radości nie było końca. Ciemności i cierniste drzewa znikły. Świat stał się jasny i słoneczny, jak dawniej.

– Och, jak cudownie jest znów być w domu! – cieszyła się Aurora.

Książę Filip dał sygnał orkiestrze i dźwięki muzyki wypełniły salę.

Nadszedł czas, by uczcić rocznicę ich ślubu.